KB101943

부분

외밀

어떤 글은 누군가에게 소설이라고 불린다.

무언가를 비우고 싶다. 결핍된 소설. 너는 언젠가
'확장 영화'라는 표현을 접하고서[1] 확장 소설을 쓰겠다고
구상했었다. 확장되거나 결핍되거나. 전환: 부분이
드러나게 되기 위해 비어 있게 되는 부분. 지면을 채워야
하는 상황에서 비우고 싶어 하기. 비우면서 채우기.

가장 쉽게 비울 수 있는 것은 사건이다, 라고 너는 정해
본다.

이를테면 사건이 배제된 묘사만으로 이루어진 글이라면.
탁자에 컵이 하나 놓여 있다. 재질은 유리인 듯하고,
투명한 액체가 반쯤 담겨 있다. 컵의 표면에 방울이 맺혀
있는 상태를 보아 투명한 액체는 차가운 듯하다.
이 추정은 아마도 사실이겠지만, 묘사에서 벗어난다.
그러나 아직 사건은 아니다. 네가 컵을 들고 거기 든
액체를 마셔 그 온도를 확인하기 전까지는.
그럼에도 사건은 발생한다. (누군가 그곳에 탁자를 구해
가져다 두었고, 컵을 구해 거기에 액체를 따라 두었다.)
발생해 버리고 그대로 있다. 혹은 이미 존재해 있다. 묘사는
사건의 표면에, 표면으로 존재한다. 너는 묘사를 단서로
사건의 정체를 파악해 보려 하지만 사건이었으리라고
짐작되는 결과의 파편을 조금씩 살필 수 있을 따름이다.
분리된 파편은 연결되었던 단면을 통해 없었고 몰랐던
모습을 드러내는데, 이는 일부 시에서 사건이 발생하는
방식을 닮아 있는지도 모른다. 단어와 단어 사이에서
생략되고 비약되어 접힌 사건의 모습의 부분. 그렇다면
책은 소설로 구성된 시집이 될 수도 있다. (너는 글이
책이 되리라 정해 두고 있다.) 혹은 시의 부분이 되는
소설이자 소설의 부분이 되는 시. 같은 지점을 향하거나,
같은 점을 공유하는, 아니면 특정 형식을 함께 사용하는,
그것도 아니라면….

너는 사건을 비우는 데 실패해 있다.

1
장뤼크 고다르, 『고다르×고다르』, 데이비드 스테릿 엮음, 박시찬 옮김,
이모션 북스, 2010년, 12면.

주제를 지울 수 있을까? 아니, 지운다면 이미 있었던
주제를 없애게 되는 쪽이니까, 주제가 없는 글쓰기.
주제 없음. 무언가를 추구하거나 표방하지 않음. 무언가를
추구하거나 표방하지 않겠다는 주제에서도 벗어나기.

너는 주제에서 벗어나지 못한다.

작품 속에서 '나'는 글쓴이가 아닌, '나'로 설정된
화자이거나 등장인물이다. 너는 그렇게 너를 향한 의혹을
일축한다. 그렇다면 '너'는 누구인가? '나'와 함께
글쓴이를 벗어나기로 한 '너'는 글쓴이의 대상이 되거나,
글의 대상이 되거나,

너는 당신이 되어 있기도 합니다.

주인공이 되지 않기 위해, 화자는 관찰자 시점에서
서술자가 되고 싶어 한다. 그는 주인공이 자신과 다른
인물이기를 바란다. 자신의 부분을 공유한 이가
돌아다닌다는 생각에 그의 마음이 조여들거나 죄어든다.
자신에게서 가능한 한 먼 인물을 보고 싶다. 최대한
멀리서, 최소한으로 보이는 것들을 적고 싶다. (그러면
듣기는 어려워지는데.) 화자는 주인공과 주인공
주변의 등장인물들을 윤곽으로 그려 본다. (점점 커지는
발소리들.) 인물들이 이미 스스로 움직이고 있음을
눈치채지 못한 채.

여전히, 가까워질 필요는 없다.

우리(가까워진)는 이제 면을 넘어가게 된다. 면을
넘으려면 면을 채워야 한다. 아니면 비우기로 정하거나.
면을 채우거나 비우면 다시 면이 온다. 면은 우리를
기다린다. 계속. 끝없이.

우리는 시간 차를 두고 함께 면을 건너뛴다.

면은 공간으로 시간을 덮는다. 책은 장소로 존재한다.
책에 시간이 존재한다면, 읽히지 않은 시간의 보전이 아닐까.
우리는 면을 비우고 채운다. 그것을 책이라 믿으면서.

세워진 면. 가로 몇 밀리미터, 세로 몇 밀리미터의 하양.
적합한 면을 찾아서, 너는 면을 줄여 보거나 늘려 보며
글자를 입력한다. 첫 줄. 자음과 모음을 위한 다섯 개씩,
열 개. 두 번째 줄. 자음용 다섯 개, 모음용 네 개. 셋째 줄.
자음 넷, 모음 셋. 단출한 자판은 다가오거나 지나가는
미래를 두드려 낸다. "내게 미로에서 빠져나갈 수 있는
능력이 주어진다면, 나는 그 능력을 미로를 만드는 데
쓸 것이다." 너는 자판을 미로를 만드는 도구로 사용할
것이다. 미로를 만들 수 있는 능력과 미로를 빠져나갈 수
있는 능력이 동일하다는 전제하에. "있는 그대로의
사물들을 내포하는 실재보다는, 그 사물들이 언제나 다르게
존재할 수 있는 가능성을 내포한 실재에 몰두한다."[2]
『형이상학과 과학 밖 (세계들에 대한) 소설』에 대한
한 논평을 미로에 대한 생각으로 끌어와 본다. 미로에서
빠져나가는 방식에 따라 각자 다르게 존재할 수 있는
가능성, 미로 안에서. 그렇다면 미로 밖에서는? 미로 안이
미로 밖을 반영할 수 있을까, 반영하게 될까? 미로를
실재로 상정한다면, 그 바깥을 반영하는 것에 대해 왜
생각할까? 너는 생각을 멈춘다.
가능성의 실재는 미로 안에 있다. 아니, 가능성의 실재는
미로다. 빠져나갈 수 있는, 그렇다면 이미 무너져
존재하는.

당신의 그리 좋아 보이지 않는 습관. 존재하지 않는
과거를 그리워하기. 존재하지 않기에 그리워할 수 있다고
당신은 말했습니다. 지나간 몇 장. 가지고 있었어.
그것이 목적이었다. 스스로 쓴 소설을 한 편 가지고 있기.
지금은 없어, 날아갔어, 없는데, 있어, 내 안에. 그런 걸
존재한다고는 하지 않지. 그런가? 그러면 그것은 과거인가,
과거도 현재에 존재하지 않잖아, 그러니까. 그런가?
과거가 지나가고서 현재가 있다고 여기는 사람과 과거가
현재에 남아서 공존한다고 보는 사람과 그러면 미래는?
과거와 함께 존재하는 미래를 외면하면서 지워지는 현재.

2
퀭탱 메이야수, 『형이상학과 과학 밖 소설』, 엄태연 옮김, 이학사,
2017년, 뒤표지.

그러나 몸의 움직임은 현재에 종속되어 있다. 한없이 가벼워지려는 몸짓과 한없이 무거워지려는, 무거워진 끝에 몸짓으로 존재하기 어려워진… 유동 상태와 정지 상태 사이에 유예된 우리의 상태는 현재라고 불린다. '현재'라는 퍼포먼스. 그런데 퍼포먼스에서 '사라짐'을 그 대표적인 속성이라고 할 수 있을까? 외려 퍼포먼스는 영상을 통해 다각도로 입체적으로 기록되어 무대 관객으로서 보지 못한 부분을 영상 관람자로서 보게 되기도 하는데, 전시장 벽면에 그려진 어떤 페인팅[3]은 결국 사라진다. 사진이나 도록으로 남기는 하지만 실체는 완전히 지워지는 전시 상황은 '사라짐'이라는 기준에 부합하는 퍼포먼스가 된다. 사라짐이 더 이상 의미 없어지는 상황에서, 퍼포먼스는 어떤 상황으로 존재할 수 있을까, 혹은 존재하지 않을 수 있을까. 존재하지 않는 퍼포먼스를 그리워하기. (그런 걸 존재한다고는 하지 않지. 그런가?) 소설을 특정한 상황이 구현되는 부분적인 공간으로 만든다면, 또는 소설의 공간을 펼칠 때마다 부분적으로 구현되는 상황에 처하게 된다면,

"'부분'이라는 제목 아래 글을 쓰던 중, 우리는 모든 일의 부분을 보고 듣고 겪고 다루게 된다는 생각에 닿게 되었다. 그러나 모든 일에는 어떤 식으로든 끝이 나는 순간이 발생하게 되고, 그 순간 부분은 자연히 그리고 결과적으로 전체가 되곤 한다. 이를 인지하고 인정하고, 그렇다면 무언가를 다 다루려 하지 않고 다룰 수 있는 부분을 택해 그 부분을 할 수 있는 만큼 다루는 일에 대해 고민하면서, 이러한 주제를 반영한 글을 완성할 예정이다. 여러 시편과 짧은 소설로 이루어진, 시가 소설의 부분이 되고 소설이 시의 부분이 되면서 한 권 전체를 이루는 책을 구상하고 있다."[4]

3
박아람, 《Blue, Blue》, 더레퍼런스, 2021년 6월 11일 – 7월 11일.

4
김뉘연, 「2021년 예술창작활동지원사업 지원신청서(A트랙)」 부분, 서울문화재단, 2020년.

너는 너의 문체에 이름을 붙이고 싶다. 간결체나 만연체 같은. 누구의 기술 같은. 구성체, 구조체, 내용과 형식이 서로를 반영하면서 맞물려 나아가려 한다는 점에서라면 반영체, 특유의 문체에 관심을 두게 되더라도 그것을 지칭하거나 설명하기는 쉽지 않다. 생각을 거듭하게 된 대상을 다각도로 깊숙이 계속 부를 수 있게 되기를 바라는 말은 어느 순간 종이를 걸쳐 입고 움직이는 조각이 되려 한다. 조각은 사다리를 타기도 하고, 횡단보도를 건너기도 하고, 사각형을 원으로 만들거나 원을 사각형으로 만들기 위한 움직임은 조각으로 보이기도 하고 조각이라고 불리기도 한다. 흩어져 모인 말의 몸은 시간과 맞물려 공간의 조각이 되거나 공간과 맞물려 시간의 조각이 되거나 너의 몸의 부분이 되거나, 여러 방향을 향한 다각도의 조각으로 남아 있기로 하거나

바람을 제작하는 사람
조각을 펼치고 접고
조각 바람 움직이고 [5]

존재하지 않는 원본은 상황에 따라 다르게 존재하려고 한다. 그렇게 존재하여 존재하지 않으려 시도한다. 시도는 연습이라는 이름으로 다르게 불린다.
쓰이다 만 책은 읽히다 만 책을 앞지르려 하지만, 둘 다 펼쳐진 책이다. 펼쳐진 책은 책 앞의 사람을 잡아 둔다. 보폭을 조절하는 사람은 귀퉁이를 접는 연습을 한다. 내키는 대로 걸을 수 있는 사람은 사이를 펼치는 연습을 한다. 너는 연습들을 바라본다. 너는 연습들을 듣는다. 너는 연습들을 읽는다.
너는 연습들을 만져 보기로 한다.

앞에 두는 말을 옆에 두는 말과 섞고 옆에 두는 말을 뒤에 두는 말과 섞고 뒤에 두는 말을 위에 두는 말과 섞고 위에 두는 말을 아래에 두는 말과 섞고 바닥에 두는 말을 공중에 두는 말을 곁눈으로 말하는 연습 듣는 연습 [6]

5
김뉘연, 「조각」(2020년) 부분.

6
김뉘연, 「겹눈」(2020년) 부분.

어떤 글이 누군가에게 소설이라고 불린다면, 어떤 글이
누군가에게 시라고 불린다면, 어떤 글이 누군가에게
극이라고 불린다면… 만약을 위해 너는 꾸준히 연습한다.
계속 준비한다. 준비하면서 연습한 것들을 바라본다.
누군가는 시의 자료라고 여길, 누군가에게는 소설의 재료로
간주될, 곧 극의 요소가 될, 그것들을 본다. 그것들은
가로 21센티미터, 세로 29.7센티미터, 상하좌우 여백
2.54센티미터의 A4 용지 크기로 설정된 페이지를 채워
가고 있다. 네가 사용하는 모니터의 세로 길이를 조금
웃돌기에 너는 이 페이지의 온전한 모습을 화면에서 확인해
보기 어렵다: 너는 A4 용지의 부분을 연습해 보고 있다.

"이 노트, 이 두꺼운 아동용 연습장이 내 삶이고, 그걸
받아들이는 데 시간이 좀 걸렸다."[7]

A4 크기의 지면에 위쪽에서 25.4밀리미터, 왼쪽에서
25.4밀리미터 간격을 두고 가로 96밀리미터, 세로
96밀리미터의 면을 선으로 마련한다.
면 위쪽에서 3밀리미터 간격을 두고 면 왼쪽 끝에서
오른쪽 끝까지 선을 긋는다. 이어 같은 간격을 두고 이 선과
평행하면서 길이가 같은 선을 그 아래에 긋는다.
이 과정을 반복하며 면 맨 아래에 닿기 전까지 선을 그어
나간다. 이 선들과 직각을 이루는 선을 면 왼쪽에서
3밀리미터 간격을 두고 면 맨 위에서 맨 아래까지 긋는다.
이어 같은 간격을 두고 이 선과 평행하면서 길이가
같은 선을 그 옆에 긋는다. 이 과정을 반복하며 면 오른쪽
끝에 닿기 전까지 선을 그어 나간다.
면 위쪽에서 6밀리미터 간격을 두고 면 왼쪽 끝에서
오른쪽 끝까지 선을 긋는다. 이어 같은 간격을 두고 이 선과
평행하면서 길이가 같은 선을 그 아래에 긋는다.
이 과정을 반복하며 면 맨 아래에 닿기 전까지 선을 그어
나간다. 이 선들과 직각을 이루는 선을 면 왼쪽에서
6밀리미터 간격을 두고 면 맨 위에서 맨 아래까지 긋는다.
이어 같은 간격을 두고 이 선과 평행하면서 길이가
같은 선을 그 옆에 긋는다. 이 과정을 반복하며 면 오른쪽
끝에 닿기 전까지 선을 그어 나간다.

[7]
사뮈엘 베케트, 『말론 죽다』, 임수현 옮김, 워크룸 프레스, 2021년,
122면.

면 위쪽에서 12밀리미터 간격을 두고 면 왼쪽 끝에서 오른쪽 끝까지 선을 긋는다. 이어 같은 간격을 두고 이 선과 평행하면서 길이가 같은 선을 그 아래에 긋는다. 이 과정을 반복하며 면 맨 아래에 닿기 전까지 선을 그어 나간다. 이 선들과 직각을 이루는 선을 면 왼쪽에서 12밀리미터 간격을 두고 면 맨 위에서 맨 아래까지 긋는다. 이어 같은 간격을 두고 이 선과 평행하면서 길이가 같은 선을 그 옆에 긋는다. 이 과정을 반복하며 면 오른쪽 끝에 닿기 전까지 선을 그어 나간다.

면 위쪽에서 24밀리미터 간격을 두고 면 왼쪽 끝에서 오른쪽 끝까지 선을 긋는다. 이어 같은 간격을 두고 이 선과 평행하면서 길이가 같은 선을 그 아래에 긋는다. 이 과정을 반복하며 면 맨 아래에 닿기 전까지 선을 그어 나간다. 이 선들과 직각을 이루는 선을 면 왼쪽에서 24밀리미터 간격을 두고 면 맨 위에서 맨 아래까지 긋는다. 이어 같은 간격을 두고 이 선과 평행하면서 길이가 같은 선을 그 옆에 긋는다. 이 과정을 반복하며 면 오른쪽 끝에 닿기 전까지 선을 그어 나간다.

면 위쪽에서 48밀리미터 간격을 두고 면 왼쪽 끝에서 오른쪽 끝까지 선을 긋는다. 이어 같은 간격을 두고 이 선과 평행하면서 길이가 같은 선을 그 아래에 긋는다. 이 과정을 반복하며 면 맨 아래에 닿기 전까지 선을 그어 나간다. 이 선들과 직각을 이루는 선을 면 왼쪽에서 48밀리미터 간격을 두고 면 맨 위에서 맨 아래까지 긋는다. 이어 같은 간격을 두고 이 선과 평행하면서 길이가 같은 선을 그 옆에 긋는다. 이 과정을 반복하며 면 오른쪽 끝에 닿기 전까지 선을 그어 나간다.

너의 면 위에서, 선은 118가지 소리로 구현된다.

문장은 면에서 대개 선으로 구현된다. 주어에서 술어까지.
주어는 관형사와 명사를 들고, 부사를 거쳐, 형용사와
동사로 서술되곤 한다. 너는 서술되지 않으려 애쓴다…
너는 술어를 던져 버린다. 서술을 벗어난 주어는 이웃한
단어의 품사와 재조합하며 변형되기를 시도한다.
순열 치환.[8] 조각을 펼치고 접으며 조각 바람을 만들어
움직이는 사람은 입김을 불어 날려 확보한 공간에
소리의 자리를 마련한다. 입 텅 빈 구멍 모음을 예비하는.[9]
다시 듣기 위한 준비.

나는 그를 누구라고 부르지만 그의 이름은 알지 못한다
그는 그의 이름을 더 이상 사용하지 않는다고 말했다
그러면 누구는 그의 두 번째 이름이 될 수도 있는데 누구를
우리는 이름이라고 말한 적이 없기 때문에 그의 첫 번째
이름을 그리고 두 번째 이름을 나는 알지 못하고 다만 그를
누구라고 부른다 부를 줄 안다 누구, 하고 그를 부르면
그는 나를 보고 그러면 나는 그의 얼굴을 보게 되고 누구가
그의 얼굴이구나 한다.[10]

그의 얼굴이 멈추어 있다.
손을 올려 그의 얼굴에 댄다 움직인다 움직임들이
지나간 굴곡을 지나
말들이 낸 구멍 옆을 지나
시의 직선들을 지나
수평을 이루지 못한 그곳
한가운데에서 멈춘다. 거기서
손의 끝은 그의 얼굴을 내려다본다
얼굴이 멈추어 있고
손끝이
얼굴과 함께한다[11]

8
테레사 학경 차(Theresa Hak Kyung Cha), 〈순열(Permutations)〉
(1976년).

9
테레사 학경 차, 〈입에서 입으로(Mouth to Mouth)〉(1975년).

10
김뉘연, 「얼굴」(2020년).

11
김뉘연, 「얼굴」(2021년).

마침표는 구멍 메워진 단어 납작해진. 너는 단어들을 밟아 납작하게 만들었다. 발꿈치로 납작해진 단어들이 발바닥에 붙어 버려 바닥에서 발바닥에서 떼어 내려 단어들을 압착되어 버린 단어들은 좀처럼 떼어지지 않고, 납작해진 끝에 하나가 되려 하는 그것들을 억지로 떨어뜨리려 하는, 너는 너의 발꿈치로 단어들을 밟았고 발바닥으로 납작하게 만들었고, 이제 발바닥에 붙어 버린 단어들을 발꿈치로 떼어 내려 하고, 발꿈치는 좀처럼 제 몫을 감당해 내지 못하고

너는 마침표 달린 발바닥으로 걸어 다닌다.

발바닥이 움직인다. 발바닥을 보기 위해 움직인다. 발바닥이 자꾸 움직이고, 발바닥을 자꾸 놓친다. 발바닥을 보기 위해 발을 보거나 바닥을 본다. 계속. 발, 바닥, 발, 바닥, 발바닥은 계속 보이지 않고 계속 움직인다. 계속 본다. 움직이는 발. 움직이는 바닥. 거기 앉아 버리지 말고 거기 서 버리지 말고 움직이기 움직이는 발바닥을 뒤따라 계속, 발자국은 놓쳐도 되니까 이미 놓쳐 버렸으니까, 발, 바닥, 버리지 말고, 계속 보고 계속 움직이기 계속 보기 위해 움직이기 발을 따라, 바닥을 따라,

거기서 너는 글을 잠깐 놓친다. "그러니까 통풍을 신경 쓰겠다는 것이다."[12] 사이에서, 다른 언어를 처음 익히기 시작했을 때를 생각해 본다. 소리로 붙어온 그것, 누군가 던져 버린 술어를 주머니에 담아 들고 달리기 시작했다, 그렇게 바람이 만들어졌음을 이제 안다. 너는 주머니에서 조각을 꺼내지 않았고 아무도 너의 동작을 눈치채지 못했다. 너는 그렇게 돌맹이를 만지곤 했다.

12
란다 사브리, 『담화의 놀이들』, 이충민 옮김, 새물결, 2003년, 19면.

그러다 익숙한 동그라미를 발견한다. ○의 뒤통수. ○은
긴 의자의 왼쪽에 치우쳐 앉아 있다. 옅은 갈색 나무로
만들어진 의자에 군데군데 얼룩이 짙게 져 있다. 너비는
아이 키만 할까, 너는 그 정도를 여느 아이의 키로
받아들인다. 짧은 머리칼 아래 드러난 목의 길이는 머리의
길이와 비슷해 보이고, 상당히 길게 느껴진다. 긴 목은
일자로 꼿꼿이 서서 의자와 직각을 그린다. 너는 의자
등받이의 수평과 ○의 목의 수직을 프레임화한다.
거기서부터 너의 조망이 시작된다.

어디까지 볼 것인가, 어디까지 볼 수 있을 것인가,

지난겨울에 중개를 통해 만나게 된 어느 부동산 중개인은
자신이 속한 동네를 평평하다고 소개했다. 눈치채기
쉽지 않지만, 알고 보면 이곳은 오르막길이나 내리막길이
없이 고루 평평합니다. 계속 걷기에 좋지요. 이동하기 위해
계속 걸어야 하는 너는 반색하며 그의 말을 받아들였다.
땅은 걸음을 예비하지만 걷는 자와 무관히, 땅은 좀처럼
지치지 않는다. 땅은 걸음을 받아들이고, 내치고, 지켜보고,
듣는다. 언제나 누구에게나 지치지 않는 땅 앞에서

어디까지 갈 것인가, 어디까지 갈 수 있을 것인가,

너는 할 수 있는 한 말을 뱉어 내려 한다. 간극 없이
중얼거리며 끝을 보류하려는 누군가처럼. 끝을 미루는 말과
끝을 부르는 말은 서로의 끝을 잡으려 하고, 꼬리들의
사이에서 너는 갈팡질팡한다.

시작을 담보한 모서리만 갖춘 불완전한 프레임. 이미
시작된 조망 앞에서, 너의 사라져 있음만이 분명하다.
화면 뒤로 물러나 있는 너는 눈을 가능한 한 확장해 보고
싶은 것을 보려고 해 본다.
너는 네가 보고 싶은 것을 볼 수 있다.
평평한 곳에 처한 너는 움직이는 언덕을 보고 싶어진다.
언덕 위에서 움직이는 동반자들을. 가는 언덕, 오는 언덕,
자리를 맴도는 언덕. 동반자들은 곧 사라지고, 움직였던
언덕만 흔적으로 남아 있다.

이마라는 말을 좋아했다

완만한 곡선을 품은

멀리
조금

있는 너의

말
좋았다
이마라는

말 그 말은 너의 표면에서

내 앞에 있었다

조금
멀리

동그랗다가
둥그렇게[13]

자리를 맴돌다 자꾸 사라지려는 이야기. 둥글게, 둥글게…
회전운동을 하며 몸집을 줄여 가던 이야기 앞에서
새가슴을 만났다. 한복판에 세로로 세 부분으로 된 부분이
튀어나온 겁이 많고 그릇이 작은 새. 그것은 아주 작아서
손안에 폭 들어왔다. 들어온 그것의 진동이 작은 진폭으로
손을 울리고, 너는 내가 겁이 많아서 운다고 여겼지.
한복판으로 가야겠다고 생각했다. 가장자리에 있어서 작은
그릇을 가지게 되었을 것. 그릇이 작으니 조금밖에 먹을 수
없고 길게 살기가 힘들고 그러니 한복판으로 가야 한다.
손안의 진동과 함께 작은 진폭으로 간다. 새소리를 들으며,
새소리만큼은 하루 종일 들을 수 있으니까, 하루를
따라간다. 하루는 새가슴을 내밀고 걷는다. 겁은 많지만
부끄럽지는 않다고 했고 우리는 그런 하루를 따라간다.
손안의 진동이 튀어나와 함께 걷는다. 새의 가슴으로, 종일
노래하며, 하루와 함께, 부끄럽지 않게.

13
김뉘연, 「이마」(2020년).

작은 하루를 갈팡질팡하기. 그러다 보면 어느 순간
작은 하루가 큰 하루가 되기라도 하듯이. "만약 시간이
끝나야 한다면 매 순간 그 시간을 묘사할 수 있고,
묘사되는 그 순간은 그 끝이 더 이상 보이지 않을 정도로
확장되지."[14] 맴돌다 사라지려던 시작을 연장한 끝에
확장되며 사라지려는 끝을 어떻게 둥글게 말할 수 있을까?
둥글게, 둥글게⋯ 동그라미로 시작된 공간이 둥근
시간에 점거되는 모습을 그려 보며, 너는 다시 구르기
시작한다.

바닥
앉아
무릎
구부려
등
구부리고
고개
숙여
팔
구부려
팔꿈치
지나
위팔
미끄러져

그곳에 간다.

너는 너의 어깨를 어루만지며 몸의 크기를 줄여 간다.

아주 작아진 너.

너의 손 너의 어깨에
아주 둥그렇게
너.

14
이탈로 칼비노, 『팔로마르』, 김운찬 옮김, 민음사, 2016년,
132면.

너의 어깨에 너의 손
아주 작게
너.

아주 둥그레진 너.

너는 너를 줄여 간다.

가능한 한 작은
가능한 한 둥근

아주 가능해진 너.

너는 굴러간다.

너의 어깨는 바닥에 닿지 않는다.[15]

15
김뉘연, 「어깨」(2020년).

2022년, 1월 11일.

대화란 네게 환상이다. 말들이 적절하게 오가게 되든 조금씩 어긋나게 되든, 주고받는 행위를 전제로 하는 퍼포먼스적 환상. 너만의 신체로 빈 지면을 마주한 지금으로서는 그렇다면 독백. 던져 버리고, 뒤돌아보지 않기.

책을 옮기다가, 사 두고 펼쳐 보지 않았던 책을 발견했다. 보토 슈트라우스의 『커플들, 행인들』. 정항균 옮김. 을유문화사. 2008년 출간. 작가의 이름에서였는지, 작품의 제목이었는지, 어떤 부분에 끌렸는지 좀체 기억나지 않는다. Paare, Passanten. 원제를 이루는 단어가 나열된 모양이 보기 좋다. '커플들'이라는 제목의 글은 있지만 '행인들'이라는 글은 없고, '글', '단독자들', '현재에 빠져 사는 바보'라는 제목들이 들어온다.

「글」을 펼쳤다.

야외에 앉아서 책을 읽던 그는 어두워지면서 자연히 책을 읽지 못하게 된다. 그렇게 그는 책을 잃어버렸다. 아니다, 책이 그를 떠났다, 어둠 속으로. 뒤이어 그는 자신에게 다음과 같이 말한다.

"말이 자기들끼리만 어울리고 네가 거기에서 따돌림당해 그 어떤 인식도 할 수 없을 때가 되면, 네가 어떤 모습으로 쪼그리고 앉아 있을지 상상조차 못 할 거야."(108면) 너는 네가 말들을 던져두고 떠나왔다고 여겨 보지만, 말들은 그들끼리 무리 지은 안에서 너를 본다. 지면이 거울이 되어 너를 비추리라 생각해 보지만, 말들은 너를 보여 주는 대신 바라본다.

너는 말들에게 내쳐져 있다.

1월 12일.

거의 주기적으로 책을 옮기고 있다. 일종의 종교의식처럼. 이름을 따라 배열할지, 묶음으로 둘지, 어느 정도까지 세분할 것인지, 우리(가까워진)는 평생 같은 고민을 맴돌다 죽을 것이다. 고민의 주변에서 한가운데로 둥글게, 둥글게… 그렇다면 어느 정도는 예측 가능한 삶이다. 불투명한 미래 같은 건 우리에게 없다.

1월 13일.

말에 내쳐져 있음. 계속.

다른 이들이 너의 글을 말할 때, 너는 네가 쓴 말들에서
소외되었다고 느끼곤 한다. 그들의 말은 어디서 왔는가?
너의 말은 어디로 갔는가?

그러니 다시 쓸 수밖에 없다.

1월 17일.

미완성 파일을 열었다. 「따옴표는 셋」. 말하는 사람들의
말 잇기. 한 사람의 말을 듣고, 한 사람이 이어 말한다. 다시
한 사람이 듣고 또 말한다. 세 사람의 귀와 입을 통해
반복되는 이 과정은 그대로 듣고 그대로 말한다는 생각이
일종의 환상임을 드러낸다. 말은 몸을 거쳐 가며 끝없이
변환되면서 순환한다. 예측과 짐작을 넘어선 방향으로 또는
그동안 존재하지 않았던 형태로. 거대한 나선의 부분을
더듬어 가는 듯한 이 대화는 창작과 재창작을 두루
은유한다. 시극은 문학 장르에서 정의에 대한 의견이 유독
분분해 보이는 시와 시의 독해에 관한 대화로 읽기기도
하고, 시와 극이 서로 겹쳐지면서 어떻게 또 다른 방향을
만들어 나갈 수 있는지 보여 주기도 하면서, 말과 말
사이를 오가며 중심과 경계에 동시에 존재하는 언어가 몸을
통해 몸으로 옮겨지고 구현됨을 증명하려 한다.

몸에 대한 말을 주고받으며 말을 몸으로 체현하는,
삼중창으로서의 3막극.

시놉시스는 여기까지.

1월 19일.

너는 일기를, 이를테면 자면서 꾸는 꿈의 주기로 쓴다.
불규칙적으로 쓴다는 말이다. (그런가?)

어떤 사람은 간밤의 꿈을 메모해 책으로 내게 되고, 어떤
사람은 꿈에서 깨자마자 죄다 잊어버린다. 누군가는
꿈을 잊기 전에 적어 보는 습관을 가져 보라고 하고,
누군가는 꿈을 적어서 펴내는 행위를 비웃는다.

그러면 너는? 너는 꿈을 메모하지 않지만, 너의 바깥에
있는 이들에게 꿈을 적어 보는 것도 좋겠다고 안내하기도
한다. 네가 꿈을 메모하지 않는다는 사실을 그들은
알지 못한다. 너는 꿈을 분명하게 기억하지 못하기에
메모하지 않게 되었다고 생각해 보지만, 분명하게
기억하지 못한다면 더욱 적어 두어야 하는 것이 아닌가?
그렇다면 너는 꿈을 메모하지 않기로 선택한 것이다.

네가 꾸는 꿈은 거의 대부분 개꿈이기에, 꿈을 꾸면서
동시에 조금씩 꿈을 잃어버리고 있을 수도 있다.
개꿈이라는 단어를 이미 사용하고서, 개꿈이라는 단어를
사전에서 찾아본다. "특별한 내용도 없이 어수선하게
꾸는 꿈."(국립국어원 표준국어대사전) 단어를 알맞게
사용했다고 느낀다. 그 개와 이 개가 동일한 개는
아니지만, 긴 발음에 기대어, 산만한 너의 개가 사방을
누비며 산책하는 모습처럼 너의 꿈이 마구 꾸어진다고
생각하니 자꾸 웃음이 난다.
그렇다면 기쁘게 계속 흘려보내며 내용 없는 꿈을
꿀 것이다.

1월 20일.
말하는 사람들. 말하는 사람 1. 중얼거리는 사람. 천천히
조금씩 이어지는 말들. 말하는 사람 2. 말하는 사람이
중얼거리는 말을 들으며, 말을 골라 다시 말하는 사람.
말하는 사람 3. 다시 말하는 사람이 골라 전하는 말을
듣고서, 또다시 말하는 사람.

1월 21일.
글쓰기에 대한 글 앞에서. 여러 사정으로 오래 읽고 있는,
스타니스와프 이그나찌 비트키에비치가 쓰고 정보라가
옮긴 희곡 속 등장인물의 대사들. "난 글을 쓸 수 없어요.
연필로도 자살을 할 수 있어요. 수정을 할 수 없는데
여기엔 새로운 것들이 계속 들어와요." "이렇게 기분이
좋았던 적이 없어요. 심지어 가장 좋았던 시절에도요.
글을 쓰고 싶어요." "그륀 박사님, 연필과 종이 한 장만
주세요. 시의 첫 줄을 써 놔야겠어요. 그 시를 머릿속에
담은 채로 잠에서 깼어요. 거기서부터 훌륭한 작품을 만들어
낼 거예요. (그륀 그에게 공책과 연필을 준다. 발푸르그
선 채로 쓰기 시작한다.)" "잠깐 — 방해하지 마시오. 마지막
한 줄…. 두 번째 단수 품사가 여기에 꼭 있어야 해….
(글을 쓴다.)" 너 또한 "두 번째 단수 품사"를 빠뜨리는
우를 범하지 않아야 할 텐데. 너는 폴란드어에서 단수
품사가 어떤 역할을 하는지 그것도 두 번째 단수 품사란
대체 어떤 기능일 것인지 알지 못하지만, 불안해하지
않기로 한다. "연필과 종이 한 장"이 있으니. 글쓰기의
도구란 더 이상 간단할 수 없을 만큼 간단하다.

머리로 글을 쓰려는 생각은 분명히 잘못되었다. 머리로
글을 쓰면, 네가 쓴 글이 너를 외면하지 못하게 된다.

　　1월 22일.
책장에서 책을 꺼내 책상으로 옮겼다.『생각하기/
분류하기』,『공간의 종류들』,『다이어그램처럼 글쓰기』.

　　1월 23일.
책장에서 책을 꺼내 책상으로 옮겼다.『딕테』,
『사일런스』.

　　1월 24일.
책장에서 책을 꺼내 책상으로 옮겼다.『변신술』,『고향』,
『눈치』.

　　1월 27일.
더 케어테이커의《시간의 끝 어디서나(Everywhere
at the End of Time)》를 한 달 가까이 듣고 있다.
여섯 장의 연작 앨범으로, 도입부에서는 그립고 아늑한
기분을 안기지만 중반으로 향할수록 먹먹해진다.
계속 듣고 있어도 될까. 기억을 잃어버리는 일에 대한
음악이라고 하는데, 과연 이렇게… 네 번째 앨범 초반에
견디지 못하고 멈춘다.
『포기한 작업으로부터』를, 동명의 단편을 오랜만에
펼쳤다. 사뮈엘 베케트 지음. 윤원화 옮김. 상쾌한,
너무 일찍 밝은 아침, 일찍 일어나, 끔찍한 기분에 휩싸여
좁은 보폭으로 아주 천천히 걷는, 괄태충처럼, 아마도
소년, 짐작건대 제 부모의 죽음에 책임이 있을. 아침에
집에서 나갔다가 말들을 내뱉고 저녁에 집으로 돌아오는
그의 하루의 끝이 너의 하루의 끝과 조금 닮아 있다는
생각. 뒤죽박죽된 기억과 시간을 조각으로 부스러뜨리는
말들. 원형을 헤아릴 수 없는.
전부를 기억하려 할 필요는 없다. 조금씩 흘리면서
걷게 되는 길이 도리어 자연스러운지 모른다. 너는 네게
존재하지 않았던 기억을 그리워하곤 하지 않았던가.
이를테면 그런 것들을, 조금씩.

1월 28일.
일상은 대화로 이루어지곤 하는데, 사람들은 희곡집보다
소설집에 손을 쉽게 내밀곤 한다. (물론 네게 대화는
환상이지만.)

1월 29일.
갑자기 나타났다 갑자기 사라진 하얀 말.
"이것만은 말해야겠는데 하얀색은 언제나 내게 강렬한
인상을 남겨서, 하얀 것이면 무엇이든, 종이나, 벽이나 기타
등등, 심지어 꽃도, 그리고 그냥 하얀색, 하얀색의 생각,
단지 그뿐이라도 그랬다."(『포기한 작업으로부터』, 51면)

소괄호는 손톱괄호나 손톱묶음이라고도 불린다.

(

)

1월 31일.

소설이 시나 희곡보다 나은 점이 있다면, 일기라는 형식을 가장 자연스럽게 받아들일 수 있는 장르라는 점일 것이다.

2월 1일.
어둠 속. 의자. 한 사람이 앉아 있다, 말하는 사람 1.
중얼대고 있지만 정확히 들리지 않는다. 조명이 그를 점점
밝게 비춘다. 함께 점점 커지는 말들. 한 사람의 뒤에
앉아 있는 또 다른 사람, 말하는 사람 2. 점점 커진 말들은
두 번째 말하는 사람의 목소리가 조금씩 더해진 결과일 수
있다.

2월 2일.
두 개의 2.

강변이나 해변에 앉아서 담소를 나누는 듯한 두 사람의
뒷모습은 항상 조금 친근하고 막연하다. 궁금하기도
하지만, 그러한 궁금증을 안고 다소 멀리서 바라보고 싶은
마음이 공존한다. 두 가지 마음.
말을 섞고 있을까? 말없이 한 방향을 바라보고 있는 걸까?
상상 속 익숙한 장면은 그리 쉽게 답을 주지 않는다. 어쨌든
그들이 둘이서 있는 것만은 확실하다, 품에 무언가가
안겨 있지 않는 한.
막연한 뒷모습이 왜 친근하게 다가오는 걸까? 누구나
사람이라면, 앉은 뒷모습만큼은 서로 어느 정도 닮아 있기
때문일까? 인정하고 싶지 않다고 해도.
막연한 기분은 좋기도 하고 나쁘기도 하다. 너는 그
이중성을 상당히 좋아한다.

만프레트 베르더의 블로그와 로 위에의 블로그에 접속한다.
1년에 두어 번.
너는 그들을 떠올리며 글을 쓴 적이 있을지도 모른다.
그들은 그럴지도 모른다는 사실을 알지 못한다.
그들은 서로의 뒷모습을 알지 못할지도 모른다.

2월 4일.
멈추어 있는 얼굴.
손끝의 움직임.

거기서
손의 끝은 그의 얼굴을 내려다본다

사진을 몇 장 찢어 버렸다.

2월 11일.

책장에서 책을 꺼내 책상으로 옮겼다. 『소진된 인간』,
『죽은-머리들 / 소멸자 / 다시 끝내기 위하여 그리고
다른 실패작들』, 『동반자 / 잘 못 보이고 잘 못 말해진 /
최악을 향하여 / 떨림』.

2월 13일.

컴퓨터의 화면 창을 자꾸 확대해서 보게 된다. 구글
문서의 창 크기를 늘린다는 말인데, 그러면 글자가 커진다.
그런데 글자의 포인트로 지정된 숫자는 그대로다.
10포인트. 지금 보고 있는 이 글자의 크기는 얼마라고
말해야 할까? 그러다 다시 문서 창 크기를 줄인다.
글자가 너무 커져서 집중도가 떨어지는 것 같아서다.
글자가 작아지고, 글이 밀도 있게 읽히는 것 같다.
그러다 다시…. 글쓰기에 적합한 글자의 크기를 어떻게
찾아야 할까? 혹시 글의 종류에 따라 글자 크기도
달라져야 하는 걸까? 이를테면 소설이라면 조금 크게 봐도
괜찮지만 일기라면 글자가 조금만 커져도 견디기
어려워진다면, 일기-소설은 어느 정도의 크기가 어울릴까?
밀란 쿤데라는 『소설의 기술』에서 책의 활자가 점점 더
작아지고 있다면서, 글자 크기가 조금씩 작아지다가 아예
보이지 않을 정도로 작아져서 사라지게 되는 문학의
제법 근사한 종말을 상상한다.
언젠가부터 일기의 날짜 옆에 마침표를 찍고 있는데, 어느
순간 마침표만 남게 될 수도 있겠다는 생각이 든다.
그 순간이 이 일기의 종말이 될 것 같다. 단어들이 납작해진
마침표가 발바닥에 붙어 버려 그것들을 발꿈치로 떼어 내려
해 보지만, 결국 마침표 달린 발바닥으로 걸어 다니게
되는 너.

2월 14일.

친구가 손목이 좋지 않아서 종이 책을 손에 들기 어렵게
되어 구입했다며 전자책용 기기를 보여 주었다. 왜인지
컴퓨터 화면이 너무 크게 느껴져서 휴대전화로 글을 쓴다던
동료가 떠올랐다. 신체의 제약이 글을 읽고 쓰는 데 미친
영향을 간접적으로 체험하게 되어서인 듯하다.
친구는 책을 아주 많이 읽는다. 그 점과 상관없이 친구를
좋아하지만, 친구를 떠올리면 왜인지 그 점이 가장 먼저
떠오른다.

'왜인지'는 표준국어대사전에 등재되어 있지 않지만,
'왠지'는 등재되어 있다. 그리고 정의 아래 다음의 문구가
별도로 기재되어 있다. "'왠지'는 '왜인지'에서 줄어든
말이므로 '왠지'로 써야 한다. '웬지'를 쓰는 것은
잘못이다." 한동안 "웬지"라고 잘못 말하거나 쓰곤 했는데,
지나고 보니 "웬일인지"라는 말이 안기는 느낌을 왜곡해서
확장해 사용했던 것이 아닌가 싶다.
잘못 납작해진 웬지는 그렇게 사라져 버렸다.

　　　2월 17일.
일기가 밀려서 한꺼번에 쓰곤 했던 어린 시절의 방학.
내용은 아무것도 기억나지 않지만, 아마도 그것이 첫 소설
아니었을까? 존재했었다는 사실만 존재하는, 그렇다면
사실로 남게 된, 거짓 문장들.
그것은 너의 첫 모눈종이었을 수도 있다. 그림 아래 글을
적는 네모 칸들이 이룬, 모눈종이의 부분.
글쓰기 = 칸 메우기 = 모눈 지우기.

　　　2월 18일.
산책했다. 평평한 땅을 골라 둔 어느 날의 우리에게
고마워하며.
그러다 동네를 벗어났다. 너의 동네는 어디까지일까?

언제쯤 소설을 벗어나게 될까, 소설 안에 있기는 할까?
소설은 어디에서 시작되고 어디에서 끝날까? 시작과 끝을
알면, 소설의 전체를 파악할 수 있을까. 그런데 전체를
파악할 필요가 있을까?

소설(小說)이 '작다'는 뜻으로 시작하는 단어라는 점에
마음이 조금 놓인다.

　　　2월 19일.
이야기는 소설의 유의어이므로, '작은 이야기'란 실은
중복된 표현일 수 있다: 이야기는 태생적으로 작다.

소설을 쓰고 있다고 생각했지만, 이야기를 쓰고 있다고
생각하지는 않아 왔다. 당신은 이야기를 폄하하는가?
이야기의 유의어가 소설이라는 버젓한 사실 앞에서도?
이야기의 다섯 번째 의미가 소설일지언정?

소설을 쓰고 있든 이야기 속에 있든 그것이 과연 중요할까? 당신은 다만 줄거리를 잃어버렸을 뿐이다. 아니, 줄거리란 애초에 존재하지 않았는지 모른다. 그렇다면 그것은 존재했었다는 사실조차 존재하지 않는, 아니, 무슨 말을 적으려 했는지 잊어버렸다. 줄거리를 잃었는지 잊었는지 모르는 상태.
그런데 글에서 군더더기를 다 덜어 내고 나서 남는 것이란 무엇인가? 글은 부췌(附贅)로 연명한다. 적어도 당신의 글은 그렇게 쓰여 왔다.

너는 왜 당신이 되곤 하는가? 이유와 무관히, 너는 당신이 되는 데 거리낌이 없다.

2월 23일.
소설 산책: 너는 소설을 들고 걸어 다닌다. 어느 날은 양손으로 받쳐 들고, 어떤 날은 한 손에 쥐고, 또 하루는 옆구리에, 몸의 부분으로 소설을 움직인다. 가끔은 소설을 대충 걸친 채 달려 보려 시도한다. 그리고 다시 걷는다.
오늘은 양어깨에 올려 두고서 종일 끙끙댔다. 애매하게 커져 버린 소설 앞에서 당황해 버렸다.
다시 걸으면 된다.

2월 29일.
너는 어제를 본다. 어제의 밤은 그제의 밤을 덧입고 물구나무서 있다. 너는 거꾸로 된 밤을 바로 눕힌다.
"우리들 안에 구겨 넣어진 종이가 밤이면 펼쳐진다. 첫 줄이 거꾸로 쓰인 채 내팽겨쳐진 종이가."(보토 슈트라우스)

3월 1일.
"누구나 모든 글의 흔적을 가지고 있다."(B. S.)

몸에 난 상처가 잘 사라지지 않는다. 아픔은 사라졌지만,
아픔의 흔적은 오래간다. 흔적을 지켜보지도 후벼 파지도
않는다. 거기 있음을 알 뿐이다.
수전 손태그는 1957년 12월 31일 자 일기에서 다음과
같이 쓴다. '나'는 일기에서 '나'를 창조하고, 따라서 일기는
삶의 대안을 제시하기도 한다고.

오랜만에 걸었다. 걸으며 본 것들을 묘사하고 싶지는 않다.
산책하며 보고 싶은 것들. 앙상한 나뭇가지. 모난 돌.
구멍 난 잎. 종이 쪼가리. 실오라기. 색유리 조각. 그러니까
정돈되지 않은 길을 걷고 싶다. 바닥에 눈을 뺏겨 사방을
보지 못하고 맴돌다 돌아오고 싶다. 어디를 걸었는지
깨닫지 못한 채 돌아와 버리고 싶다. 그리고 다시 나가고
싶다. 기억하지 못한다면 반복할 수 있다: "오늘이 내일이다
(Today is tomorrow)"[〈사랑의 블랙홀(Groundhog
Day)〉].

너는 삶의 대안을 바라지 않는다. 그런 것은 간지럽다.
오래전부터 거기 있었음을 이미 알고 있는데 스스로의
존재를 굳이 알리려 하는 어떤 흔적의 간지러움처럼.

3월 2일.
"내가 프랑스어로 된 모든 말들 중에서, 가장 공포감을
느끼는 말은, '꿈'이다. 나는 절대로 꿈을 꾸지 않는다.
그래서 글을 쓴다. '쓰다'라는 말은, 매일 신이 만든 그 책상
앞에 앉는 것이다. 오늘도, 내일도. […] 그렇다, 아무것도
하지 않기 위해, 특히 꿈꾸지 않기 위해, 그렇게 매일
거기에 존재하는 것이다. 왜 꿈인가? 꿈이란 사유의 거대한
알리바이이기 때문이다. […] 우리는 절대로 꿈꾸지
않는다."
마르그리트 뒤라스가 도미니크 노게즈와 나눈 말을
유지나가 옮긴 『말의 색채』 에필로그에서.

3월 11일.
노트북의 배터리가 32% 남아 있다. 22%가 될 때까지,
10%의 배터리가 보장하는 시간 내에 너는 몇 개의 문장을
쓸 수 있을까?

지난 일기를 자꾸 고치게 된다, 다가올 일기도 고친다. 너는 일기를 고친다. 30%.

지금 막 너는 열흘 전의 일기를 수정했다. "오랜만에 걸었다."라는 문장은 원래 "잘 나가지 않다가 오랜만에 걸었다."라는 문장이었다. 무심코 스크롤했다가 눈에 들어왔는데, 순간 표현이 과잉되었다고 느꼈다. 오랜만에 걸었다면 그동안 바깥에 잘 나가지 않았나 보다고 짐작할 수 있다. 너는 네 일기의 독자가 그 정도는 헤아릴 수 있으리라고 여긴다. 27%.

그러다 결국 아무 말도 남게 되지 않을 것임이 두렵다. 그래도 마침표는 남겨 두기로 했으니…. 마침표를 다시 살피기 위해 2월 13일의 일기에 다녀왔다. 26%.

독자를 예비하는 일기라는 전제를 소설의 요소로 본다면 어떨까? 너는 너의 일기 - 소설을 위해 전력을 다해 글을 굴린다. 위에서, 아래에서, 왼쪽에서, 오른쪽에서, 세워서, 눕혀서, 앉혀서, 엎어 놓고, 찌그러뜨렸다가, 늘려 보고, 쪼개거나 찢어 보려고도 한다. 24%.

갑자기 2%가 줄어 버렸음을 확인하고 나니, 더 이상 전력을 다하기 힘들다. 언제 22%를 향하게 될지 두려울 뿐이다. 23%. 이제 한 문장을 더 쓰고, 배터리를 확인하고, 접을 것이다. 아직 23%. 계속 23%. 긴 글이 예비되어 있을 것 같은 기분.

22%.

3월 19일.

아무 곳에도 가지 않은 하루가 계속된다. 어딘가에
다녀와서, 혹은 그곳에서 그날의 하루를 메모하고 싶다.
그렇다면 오늘은 도쿄. 기치조지의 이노카시라 공원.
벤치에 앉아 로손에서 산 오니기리 두 덩이와 우롱차를
꺼냈다. 우에노 공원에, 오호리 공원에 연못이 있었지.
이노카시라에도 연못이 있다. 너는 걸어서만 다니는데
연못에서는 걸어 다닐 수가 없으니, 연못을 바라만
본다. 규모가 상당한 그것은 호수인지도 모른다. 빈 백조
보트를 바라본다. 곁에 어린 친구가 있었다면 함께
보트를 타고 연못 내지 호수를 누볐을지도. 지금은 너를
아는 사람 없이 혼자 공원을 찾았다는 설정이다. 너는
공원을 상당히 좋아하고 공원에 대한 생각도 상당히 자주
한 끝에 공원에 대한 산문이며 시를 쓰기도 했는데
하지만 그래서 지금 이노카시라 공원에 와 있는 건 아니다.
이노카시라 공원에는 일기를 쓰기 위해 왔다. 일기를
위한 장소에는 책상 대신 벤치가 있고, 거기 앉은 너는
오니기리와 우롱차를 꺼낸 상태다. 뒤쪽에서 부스럭거리는
소리가 나더니 아사코가 와서 앉는다. 너는 아사코에게
오니기리 한 덩이를 건넨다. 너와 아사코는 오니기리를
하나씩 나누어 먹기 시작하고, 우롱차가 담긴 페트병
주둥이에 입을 대지 않고서 나눠 마신다. 백조를 타 본 적이
있을까요? 아니요, 왠지 우스운 기분이 들어서요. 둘은
거의 동시에 고개를 끄덕이고, 애매하게 남은 우롱차를 다
마셔 버린다. 아사코는 코트 호주머니에서 전화기를
꺼내 배경 화면을 보여 준다. 먹으로 구현된 형태.
제 고양이예요. 좋네요, 좋군요. 다시 거의 동시에 고개를
끄덕이고, 거의 동시에 웃는다. 쓰레기를 잘 담아서
서울로 가져가 주었으면 합니다. 도쿄는 포화 상태거든요.
네, 그럴게요. 서울도 그렇다는 말은 더하지 않는다.
편의점에서 받았던 비닐봉지에 오니기리 포장지와
페트병을 정리해 넣는다. 아사코의 뒷모습을 보고 싶은
너는 벤치에 좀 더 앉아 있기로 한다. 백조 한 마리가
출발한다. 아사코가 일어선다. 그리고 네게 뒷모습을 보여
준다. 하루의 뒷모습을 보고 싶었던 너의 바람이
충족된다.
아사코, 안녕! 바쿠, 안녕!
안녕히!

3월 30일.

일정을 적다가 번져 쓰게 되는 일기와 일기를 쓰겠다는
생각으로 쓰게 되는 일기는 다를까, 결국 같아질까.
일정도 거짓으로 더할 수 있고, 생각은 당최 믿을 만한
종류의 것이 아닐지 모른다. 너는 기록을 믿기가
힘들어진다. 기록하지 않으면 기억하지 못하게 되는 횟수가
점차 늘고 있음에도 불구하고.
기억과 생각과 기록과 일기와 산문과 소설과… 이들의
얽히고설킨 관계 앞에서 속수무책이고 싶지 않아, 벽에
부딪힐 때마다 벽에 문을 그려 열어 버린다. 그러면 나갈 수
있고, 걸을 수 있고, 다시 소설과 산문과 일기와 기록과
생각과 기억과… 부분 부분 닿아 있는 그것들을 이리저리
살펴본다, 혹은 그것들의 부분과 부분을 사슬로 엮어 본다.
그러면 고리와 고리 사이의 또 고리 한가운데의
구멍에서… 말들이 낸 구멍.
너는 구멍을 받아들여야 한다는 생각을 받아들인다.

3월 31일.

어둠 속. 무대 중앙을 비추는 조명이 점차 밝아진다.
나란히 놓인 의자 셋. 거기 앉은 세 사람. 명확히 들리지
않는, 계속 겹치는 말들의 중얼거림.

그러다 한 사람이 행마다 충분한 시간을 두고 말한다.
웅얼대던 말들을 뚫을 만큼의 분명한 목소리.

다시 어둠.

4월 1일.

책장에서 책을 꺼내 책상으로 옮겼다. 『영화가 보낸
그림엽서』, 『영화를 보러 다니는 평범한 남자』.

4월 2일.

책장에서 책을 꺼내 책상으로 옮겼다. 『고다르×고다르』,
『영화의 고고학』.

4월 4일.

"다리를 건너자마자, 유령이 그를 만나러 온다."[F. W.
무르나우, 〈노스페라투, 공포의 교향곡(Nosferatu, eine
Symphonie des Grauens)〉]

"다리를 건너자마자 유령들이 우리를 맞이한다."(세르주
다네, 『영화가 보낸 그림엽서』, 정락길 옮김, 이모션
북스, 2012년, 65면)

세르주 다네는 무르나우의 1922년작 무성영화 자막을
자신의 첫 저서에서 변용해 인용하고, 변용한 인용을
미완성 유고에서 재인용한다.

"백미러의 이미지 […] 우리의 눈으로부터 멀어져 가는
그러한 모든 현재들에 의해 변화되는 과거의 이미지 […]
지속적으로 사라져 가는 현재와 닮아 있다."(다네)

미래의 일기를 고쳐 쓰며, 너는 지속적으로 사라져 가는
미래의 과거를 누린다. 그것이 과거와 미래로 점철된
너의 현재다.

4월 5일.

나가지 않은 지 5일째.

샹탈 아케르망의 〈게으른 여자의 초상(Portrait d'une
Paresseuse)〉. 1986년작. 이 영화의 모든 부분이 좋다.
짧고 여러 곳에 공개되어 있어 금세 찾아서 금방 볼 수
있다는 부분이 영화를 보기 좋게 완성한다.

4월 11일.

어둠 속. 무대 중앙을 비추는 조명이 점차 밝아진다.
서로 적당한 간격을 두고, 일렬을 이루지 않고서 무대에 선
세 사람.
제각기 교차하는 시선.

서로를 바라보다가, 무대 바닥과 천장을 번갈아
바라보다가, 관객을 바라본다.

(너는 세 사람의 시선을 피하고 싶다.)

서로를 바라보다가, 무대 바닥과 천장을 번갈아
바라보다가, 시선을 정면에 둔다.

　　　　4월 13일.
13일만의 외출(아마도).
어머니의 어머니를 만나러 가기 위해 어머니를 만났다.
어머니는 새로 한 머리에 네가 선물한 가방을 들고 있다.
버스를 탄다. 나란히 앉는다. 가방 속이 궁금해진 너는
어머니에게 가방 속을 보여 달라고 요청한다. 가방이
열리고, 안경집과 손수건과 물병과 보온병과 지갑과
전화기. 너는 왜 가방과 함께 선물한 새 지갑을 쓰지 않고
껍질이 벗겨지고 있는 헌 지갑을 들고 다니는지 어머니를
추궁하고, 물병과 보온병을 둘 다 넣어 가지고 다닐 필요가
있는지 재차 묻는다. 어머니는 대답 없이 웃으며 헌 지갑과
함께 전화기를 꺼낸 다음 전화기 케이스를 연다.
떨어지는 쌀알. 아이고(어머니는 한국인이다.), 여기까지
들어갔구나. 너는 어떻게 휴대전화에 쌀알이 들어갈 수
있는지 다시 어머니를 추궁하고, 어머니는 대답 없이
웃으며 전화기를 확인한다. 전화했었구나. 너는 전화기를
확인하는 어머니의 몸짓이 답답해 전화기를 빼앗아
들고서 이제 문자로 사진을 보낼 수 있는지 묻는다. 지금
나한테 사진 보내 볼래? 어머니는 그러겠노라며, 너와
주고받은 문자 창을 연다. 그러고는 가만히 있다. 너는
숨을 꾹 참고 문자 창에서 사진을 보내는 방법을 다시
설명한다.
어머니가 웃는다.

　　　　4월 14일.
〈잔 딜망〉의 원제는 'Jeanne Dielman, 23, quai du
Commerce, 1080 Bruxelles'이다. 1975년작. 구글
맵에서 주소를 검색해 보니, '23, quai du Commerce'는
'1000 Bruxelles'에 있다고 나온다.

4월 19일.

장 루이 셰페르는 영화 속 그림자가 "모든 장면에서 내적인 기둥의 역할"(『영화를 보러 다니는 평범한 남자』, 김이석 옮김, 이모션 북스, 2020년, 105면)을 한다고 본다. 인물 뒤로 물러난 그림자, 인물과 병행하는 그림자, 인물을 지워 버리는 그림자, 인물에게 먹힌 그림자….
너는 소설의 어디에 어떻게 그림자를 배치할지 그려 본다. 소설은 장면이 아니기에 그림자만을 보일 수는 없을 것이고, 그렇다면 그림자를 연출하기 위한 인물과 사물, 배경이 필요하다. 다시. 너는 소설을 장면으로 구성하기로 정한다. 그렇다면 소설의 장면에 그림자만을 드리울 수 있게 된다. 장면은 추상적인 이미지가 될 것이고, 너는 추상 소설을 완성하게 될 것이다. 누구나 너의 소설의 표면밖에 볼 수 없을 것이고, 너의 소설을 표면적으로만 보게 될 것이다.
그것이 오늘의 너가 그림자에 바라는 바다.

4월 21일.

조명, 점차 어두워진다.

5월 1일.
누군가의 죽음에 이토록 매료된 적이 있었던가? 말론의
죽음에서 벗어나지 못하고 있다. 아니다. 죽어 가는
말론에게서, 말론의 죽어 감으로부터. 사는 것이 죽어 가는
과정임을, 작가에게 사는 것이란 글을 쓰는 과정임을
이 소설은 몸소 증명한다. 그리하여 글을 쓰는 과정은 죽어
가는 과정임을.

5월 2일.
누군가의 죽음에 이토록 매료된 적이 있었던가? "그
질문은 그냥 모호한 채로 내버려 둬야 할 것 같다."
말론의 죽음에서 벗어나지 못하고 있다. 아니다. 죽어 가는
말론에게서, 말론의 죽어 감으로부터. "우린 이 작은
의혹을 모른 체하겠지만, 계속 지켜볼 것이다." 사는 것이
죽어 가는 과정임을, 작가에게 사는 것이란 글을 쓰는
과정임을 이 소설은 몸소 증명한다. "난 이런 작은 문장들을
잘 아는데, 그것들은 아무것도 아닌 것처럼 보이지만
일단 받아들이고 나면 당신의 말 전체를 타락시킬 수도
있다. '아무것도 아닌 것보다 더 실재적인 건 아무것도
없다.' 그것들은 깊은 심연에서 나와서 당신을 거기로 끌고
들어가기 전까지는 멈추지 않는다." 그리하여 글을 쓰는
과정은 죽어 가는 과정임을.

따옴표 속 문장들은 사뮈엘 베케트가 쓰고 임수현이 옮긴
『말론 죽다』 22면과 25면에서 왔다.

5월 5일.
공책에 글을 적고 있는 말론은, 종이에 놓인 자신의
새끼손가락이 연필보다 앞서 나가다 떨어지면서 연필에게
줄이 끝났음을 알려 준다고 적는다. (하지만 다른 방향
즉 위에서 아래로는 대충 진행한다고 한다.) 그렇다면 만일
새끼손가락이 떨어지는 순간 글쓰기를 멈춘다면, 신체의
움직임이 글을 제한하게 될 것이다.
글을 사방에서 제한하는 것들에 예민하게 반응하기.
그것들을 제약으로 활용하기 위한 더없이 분명한 이유에서.

5월 7일.
말론은 마침표를 종종 놓친다.
떠 있는 문장들.

너는 단어들을 띄워 보내면서 문장으로 잡아 보려고
하지만, 어느 쪽도 제대로 해내지 못하는 기분에
사로잡힌다. 공중에 띄운 단어들은 몸에 뒤엉켜 감겨
버리고 애써 잡아 둔 문장들은 녹아 버려 형체를
알아보기 어렵다. 너는 단어와 문장이 뒤섞인 덩어리인 채
지낸다.
너의 글이 너에게서 벗어날 수 있기를 바랄 수밖에.

5월 10일.
방. 누워 지냈다. 말론을 따라.

바닥에 몸을 최대한 밀착시키려 해 본 기억. 몸으로 벽을
밀어 보기를 지시했던 브루스 나우먼의 1974년작
〈신체 압력(Body Pressure)〉을 변용하여? 눕는다. 몸의
곡선을 바닥의 직선과 동일화하기. 곡선이 완만해지고,
몸이 길어진다. 길어진 몸은 그러나 결코 완전한 직선이
되지 않는다. 누운 몸의 부분은 불가피하게 떠 있다.
너는 부분의 떠 있음을 의식하지 못한 채 쉼을 시도한다.
시도된 쉼은 그러나 결코 완전해지지 않는다. 네가 살아
있는 한. 그러면 죽음과 함께 쉼은 완전해진다는 말인가?
너는 죽음에 대해 일말의 무엇도 알지 못하면서 그런 말을
한다. 너는 네가 죽어 가는 과정의 부분을 볼 수는
있을지언정 너의 죽음은 결코 보지 못한다. 미완성을
담보한 소설.
몸을 돌린 너는 이제 바닥에 엎드린다. 계속 곡선으로,
곡선이 만든 부분으로.

5월 11일.
창문이 열려 있어 창문을 닫으려 일어났다. 엎드려 있었고,
오른쪽 팔꿈치로, 이어 왼손, 바닥을 밀어낸다. 몸이 밀려나
창문으로 간다. 창문에서 창문을 끄집어낸다. 창문을 창틀
끝까지 밀어낸다. 창문의 고리를 걸어 잠근다.

창문이 닫혀 있어 창문을 열려 일어났다. (창문의 닫힘을
견딜 수 없다. 창문의 열림을 견디기 어렵게 될 수도
있겠지만, 지금의 너는 창문을 열어야 한다.) 일어나
창문에 간다. 창문의 고리를 푼다. 창문을 안쪽 방향으로
민다. 창문과 창문이 겹친다.

미닫이라는 방식. 문장을 밀어서 시를 산문으로 만들고,
문장을 당겨서 극을 시로 만들기. 문장을 당겨서 시를
극으로 만들고, 문장을 밀어서 산문을 시로 만들기.
문장을 밀어서 극을 시로 시로 극을, 문장을 당겨서 시를
산문으로 산문을 시로… 그렇게 소설을 만들어 가기.

5월 13일.
말하는 사람 1이 말하는 사람 3의 뒤로 걸어가 선다. 너의
등. 넓고. 너의 등. 좁은. 말하는 사람 3이 말하는 사람
2의 뒤로 걸어가 선다. 가능한 한 넓게 말해 보고. 가능한
한 좁게 말해 보고. 너무 넓고. 너무 좁고. 계속. 말하는
사람 3이 말하는 사람 1의 뒤로 걸어가 선다. 상당히 작게.
상당히 크게. 말하는 사람 1이 말하는 사람 2의 뒤로
걸어가 선다. 너는 등이 간지럽고 나는 너의 등을 긁는다.
가능한 한 크게. 가능한 한 작게. 말하는 사람 2가 말하는
사람 3의 뒤로 걸어가 선다. 너는 계속. 말하는 사람
2가 말하는 사람 1의 뒤로 걸어가 선다. 나는 계속. 말하는
사람 3이 말하는 사람 2의 뒤로 걸어가 선다. 계속.

등,
너의.
넓고.
좁은.
그곳에 쓴다.
너의 몸에.
나의 말을.
가능한 한 넓게 말해 보고.
가능한 한 좁게 말해 보고.
너무 넓고.
너무 좁고.
너는 알아듣지 못한다.
계속.
상당히 작게 상당히.
크게.
등에 너의.
그곳에.
너는 등이 간지럽고 나는 너의 등을 긁는다.
가능한 한 크게.
가능한 한 작게.
너는 알아보지 못한다.
계속.

5월 31일.

목록이 늘어난다. 목록이 늘어나 있다. 목록이 늘어나는 것은 자연스러운 일일 테지만, 너는 늘어나는 목록을 점점 감당하기 어렵다고 느낀다. 네가 그렇게 느끼는 것 또한 자연스러운 일이다. 너는 아무래도 목록을 줄여 나가는 편이 낫겠다고 여긴다. 그러나 한번 늘어난 목록은 좀처럼 줄어들려 하지 않는다. 줄어든다 해도⋯ 이미 말해졌거나 쓰인 것을 지우기는 가능할 수 있지만, 말해지지 않았거나 쓰이지 않았던 상태로 돌아가기는 불가능할 수 있다. 말해지지 않았거나 쓰이지 않았던 상태를 처음이라고 한다면, 처음으로 돌아가기란 얼마나 가능하지 않은 일인지, 너는 이 점을 받아들일 필요가 있다, 라고 생각하기 시작한다.

일기가 봉착하려 하는 것 같다. 어디에 부닥친 것일까? 날짜를 버려야 할 필요를 느낀다.

6월 1일.
목록에서 벗어나지 못한 채다. 조금 더, 사이에 머물러
있기로 한다.

11분 전에 마지막으로 수정했습니다.

몇 초 전에 마지막으로 수정했습니다.

저장 중….

(　　　　)에 저장됨.

문서 상태 확인: 모든 변경 사항이 (　　　　)에 저장됨.

이 문서는 오프라인에서 사용할 수 있습니다.

인터넷 연결 없이 이 문서를 수정할 수 있습니다. 인터넷에
다시 연결되면 변경 사항이 (　　　　)에 저장됩니다.

　　6월 2일.
다듬을 목록이 없는 시간을 상상할 수 없다. 너는 그러한
시간을 살 생각이 없다. 언제 어디서나 목록과 함께
지내며, 목록과 함께하는 시간을 통해 시간을 만들어 나갈
것이다.

6월 6일.

서울. 올림픽공원에서 아사코를 만났다. 아사코는 고양이와 산책하고 있었는데 너는 고양이를 먼저 알아보았다. 검정색의. 아사코가 무슨 색을 걸치고 있었는지는 기억나지 않는다. 쓰레기, 제대로 버렸어요. 인사 대신 쓰레기를 꺼냈다. 이건 오늘의 쓰레기가 맞아요. 아사코가 너에게 어떻게 반응했던가? 아사코의 표정은 기억나지 않는다. 어머니와 아사코를 만나게 하고 싶어진 너는 어머니를 부른다. 어머니! 버스에서 내린 어머니는 웃으며 다가왔다. 그러고는 아사코의 연락처를 알고 싶다며 가방에서 전화기를 꺼냈다. 후두둑, 전화기 케이스에서 쌀알이 떨어지고, 아이고, 어머니가 다시 웃는다. 어머니의 쌀알을 보며 아사코가 웃는다. 겹쳐진 웃음을 너는 기억한다. 아니, 웃음이 겹쳐지기를 기다렸다. 우리(가까워진)는 함께 벤치에 앉았다. 그런데 아이고가 무슨 뜻이에요? 아사코의 물음에 너는 답한다. 한국 사람이라는 뜻이에요. 우리는 일본어로 대화했던가? 이 공원에도 호수가 있네요. 맞아요, 88호수래요. 1988년 서울올림픽을 준비하면서 만들어진 공원이고 호수여서 그런 이름을 가지게 되었을 거예요. 팔십팔호수가 아니라 팔팔호수라고 읽는 것이 맞겠지요. '8'이라니 『엿보는 자』가 생각나네요. 로브그리예가 베르누이의 렘니스케이트 곡선에 착안해 8자 모양을 소설에 여러 번 등장시켰거든요. 그 모양을 소설의 구조에 반영했다고 보아도 되겠고요. 너는 베케트의 짧은 글 「길」이 생각나는 한편 프랑스 문학에 대한 아사코의 식견에 놀란다. 그러고 보니 일본에서는 셀린의 책들도 스기우라 고헤이의 장정으로 단단한 옷을 입고 있었지. 검정색의. 그런데 어머니가 어디로 갔지? 그런데 고양이가 어디로 갔지? 함께 놀라서 두리번거리다 보니, 88호수로 향하고 있는 어머니의 뒷모습, 이어 아사코의 고양이의 뒷모습. 이리저리 걷는 그들은 의식하지 못한 채 서로 8자의 부분을 겹쳐 그리며 걷고 있다. 너는 아사코의 고양이와 어머니의 만남을 주선하게 된 데 흡족해하며 공원의 쓰레기를 줍는다. 아사코도 따라 줍기 시작한다. 오늘이 8월 8일이 아니어서 너는 잠시 아쉽지만, 작위적인 우연은 버리기로 한다. 아사코도, 어머니도, 아사코의 고양이도 그런 것을 바라지는 않을 것이다.

6월 13일.

산책용 운동화를 구입했다. 매일 걸어 다니기에 일상용 운동화이기도 하다. 끈은 헐겁게 매는 편이다. 그래야 발등에서 발목까지 자연스럽게 움직인다고 느낀다. 오늘도 오늘의 걸음을 위해 간격을 넓혔다. 그러다 발등에 불이 떨어졌다.

떨어진 불이 발등의 경사에 기대어 있다. 너는 발등에 놓인 불을 향해 허리를 숙여 머리를 드리운다. 머리를 든다. 불은 머리카락 끝에 매달려 너를 따라온다. 작은 불은 머리카락을 따라 옮겨 다닌다. 작았던 불이 큰 불이 되어 간다. 너의 머리는 계속 타오르고 이제

너의 불은 크다.

너는 큰 불을 이고 거리로 나간다.
너는 큰 불로 걸어 다닌다.
너는 걸어 다니는 불, 너는 점점 커져 간다.
너는 걸어 다니는 불이다, 아무도 가까이 오지 않는다.
점점 커지는 네가 누구에게 가까이 간다.

발등에서 시작된 불은 다른 곳에서 발등으로 왔고 발등에서 머리로 갔다 그렇게 너의 불이 되었다 너의 불은 크다

이제.

6월 14일.

말하는 사람 2, 황급히 외친다. 발등에 불이 떨어졌다!
떨어진 불이 발등의 경사에 기대어 있다. 말하는 사람 1, 3,
동시에. 너는 발등에 놓인 불을 향해 허리를 숙여 머리를
드리운다. 모두 허리를 숙여 머리를 바닥에 드리웠다가,
올린다. 말하는 사람 2, 머리를 든다. 말하는 사람 1, 3,
따라 말한다. 머리를 든다. 말하는 사람 2, 두 걸음 앞으로
내딛는다. 불은 머리카락 끝에 매달려 너를 따라온다.
작은 불은 머리카락을 따라 옮겨 다닌다. 말하는 사람 1, 3,
동시에 한 걸음 내딛는다. 작았던 불이 큰 불이 되어 간다.
말하는 사람 2. 너의 머리는 계속 타오르고 이제. 말하는
사람 1, 2, 3, 동시에. 너의 불은 크다. 말하는 사람 1,
한 걸음 내딛는다. 너는 큰 불을 이고 거리로 나간다.
말하는 사람 3, 한 걸음 내딛는다. 너는 큰 불로 걸어
다닌다. 말하는 사람 1, 3, 동시에. 너는 걸어 다니는 불,
너는 점점 커져 간다. 말하는 사람 2. 너는 걸어 다니는
불이다, 아무도 너에게 가까이 오지 않는다. 말하는 사람
1, 2, 3, 누구에게든 서로를 향해 한 걸음씩 다가가며
동시에. 점점 커지는 네가 누구에게 가까이 간다. 말하는
사람 2, 크게 외친다. 발등에서 시작된 불은 다른 곳에서
발등으로 왔고 발등에서 머리로 갔다 그렇게 너의 불이
되었다 너의 불 너의 불은 크다!

이제, 모두 침묵.

7월 1일.

숲에서
걸었다
보였고
발목들이
우리 따라갔다
뒤를
발목들의
네가 나의 손목을 잡고
나는 네게 손목을 잡히고
발목들의 뒤를
발목들의 옆을
숲에서
오갔다
발목들이
우리는 우리가 본 것을 발목이라고 여겼다
우리가 잡은 잡힌 것을 손목이라고 여겼듯이
숲에서
가만히
있지 않았다
발목들이
우리가 본
손목들이
우리가 잡은
우리가 잡힌
그것들이 걸어 다녔다
그것들의 뒤를
따라갔다 우리는
발목이든
손목이든
목이든
뒤따라
좁은 걸음으로

단어들을 끼고 다니다
단어들을 나눠 주기
어쩌다 너를 만나면
그러다 그를 만나면
내 옆구리에서
하나, 둘,
단어를
너는
그는
단어를 받아
들고
하나, 둘,
나는 다시 길을
간다
옆구리에
단어들을
하나, 둘,
흘리지 않도록 주의를
기울이며 기울어진 단어들을
추스르며 단어들을
옆구리에 네
옆구리에도 이제 그의
옆구리에도
옆구리라는 말
옆구리에
옆구리를 끼고
하나, 둘,
어쩌다
너를
그러다
그를

말하는 사람 3, 무대를 걸어 다니기 시작한다.
말하는 사람 1, 2, 무대를 각자 걸어 다니기 시작한다.
말하는 사람 3, 걸음을 멈춘다.
말하는 사람 1, 걸음을 멈춘다.
말하는 사람 2, 여전히 계속 걷는다.
말하는 사람 1, 3, 다시 무대를 걷기 시작한다.
말하는 사람 3, 멈춘다.
말하는 사람 2, 말하는 사람 3의 곁에 선다.
말하는 사람 1, 말하는 사람 2의 곁에 선다.
말하는 사람 1, 2, 3, 동시에, 점점 작게.

네가 내게 부딪힌다.
네가 내게 부딪혀 온다.

나는 너의 동그라미를 동그랗게 만진다.
너의 동그라미는 동그랗지 않다.
나는 너의 동그라미를 동그랗게
너의 동그라미는 동그랗지
나는 너의 동그라미를
너의 동그라미는

나는 너의
나의

내가 내게 부딪혀 온다.
내가 내게 부딪힌다.

3

어떤 글은 누군가에게 소설이라고 불린다.

소설은 3부로 구성된다. 소설이라는 장르에 대한 고민과
소설을 만들어 가는 과정이 1부에서는 산문과 시의
형식으로, 2부에서는 일기의 형식으로 흐른다. (사전적
정의에 따라 산문은 소설과 에세이 모두를 지칭한다.)
단락 몇 개가 간간이 이야기로 제시되고, 이야기를 둘러싼
산문은 시가 되거나 극이 되거나 그 반대를 받아들인다.
시는 종종 행을 합쳐 글에 편입되고, 괄호를 벗어난 극 속
지문이 대사와 뒤섞인다. 다른 이들의 말과 글이 인용으로
삽입된다. 1부와 2부는 서로를 부분적으로 반영한다.
2부의 일기는 2022년 1월부터 쓰이며, 소설은 2021년
12월에 출간된다. 소설이 담기는 책이 근접해 있는
미래에 미리 쓰인 일기 형식의 소설은 여러 가능성을
담보한다. 3부는 소설을 부분적으로 설명한다.

김뉘연

〈문학적으로 걷기〉, 〈수사학: 장식과 여담〉, 〈시는 직선이다〉, 《비문: 어긋난 말들》, 〈마침〉, 《방》 등으로 문서를 발표했고, 『말하는 사람』, 『모눈 지우개』를 썼다.

부분
김뉘연

1판 1쇄 발행 2021년 12월 1일
ⓒ 외밀 http://kimnuiyeon.jeonyongwan.kr
ISBN 979-11-957486-1-7 03810

후원 서울특별시, 서울문화재단
이 책은 서울특별시, 서울문화재단의 지원을 받아 발간되었습니다.